Student Activities M

¡EXPLOREMOS!

NIVEL 1A

Mary Ann Blitt
College of Charleston

Margarita Casas
Linn-Benton Community College

Australia • Brazil • Japan • Korea • Mexico • Singapore • Spain • United Kingdom • United States

***¡Exploremos!* Nivel 1A**

Student Activities Manual

Blitt | Casas

ISBN: 978-1-305-96980-3

Cengage Learning
20 Channel Center Street
BOSTON, MA 02210
USA

Cengage Learning is a leading provider of customized learning solutions with office locations around the globe, including Singapore, the United Kingdom, Australia, Mexico, Brazil and Japan. Locate your local office at **www.cengage.com/global.**

Cengage Learning products are represented in Canada by Nelson Education, Ltd.

To learn more about Cengage Learning Solutions, visit **www.cengage.com.**

Purchase any of our products at your local college store or at our preferred online store **www.cengagebrain.com**

Printed in the United States of America
Print Number: 01 Print Year: 2016

CONTENIDO

Nombre ______________________________ Fecha ______________

CAPÍTULO 1 Hola, ¿qué tal?

Practica tu vocabulario 1

1.1 Saludos Complete the following conversations with an appropriate word from the vocabulary.

Conversación 1:

SUSANA: ¡(1) ______________, Rafael!

RAFAEL: Hola, Susana. ¿(2) ______________ estás tú?

SUSANA: Bien. ¿Y (3) ______________?

RAFAEL: Muy bien. Susana, te (4) ______________ a mi amigo, Ronaldo.

SUSANA: Mucho gusto. ¿ De (5) ______________ eres tú?

RONALDO: Soy (6) ______________ Puerto Rico.

RAFAEL: Bueno, adiós, Susana.

SUSANA: (7) ______________.

Conversación 2:

ESTUDIANTE: (1) ______________ días, señor.

MAESTRO: Hola. ¿Cómo estás?

ESTUDIANTE: Bien, gracias. ¿Y (2) ______________?

MAESTRO: Muy bien gracias. ¿Cómo (3) ______________ llamas?

ESTUDIANTE: Me (4) ______________ José Luis.

MAESTRO: Yo soy el señor Gómez.

ESTUDIANTE: Mucho (5) ______________.

Nombre ______________________________ Fecha ______________

1.2 **El salón de clases** Write the vocabulary word for the items numbered in the picture below. Do not forget to include the article: **el** or **la.**

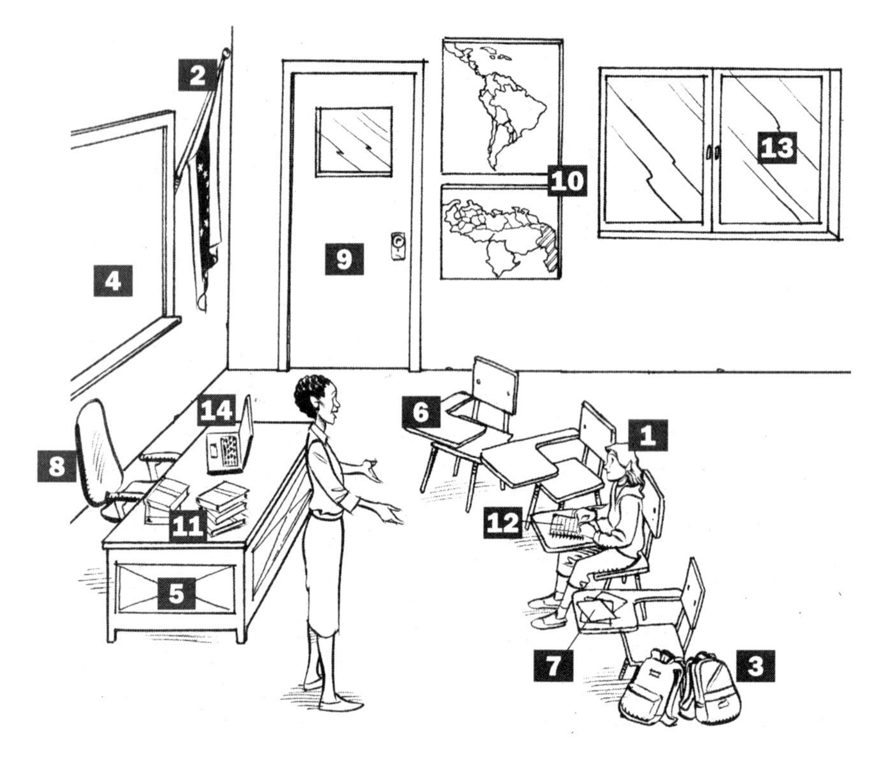

1. ______________________________
2. ______________________________
3. ______________________________
4. ______________________________
5. ______________________________
6. ______________________________
7. ______________________________
8. ______________________________
9. ______________________________
10. ______________________________
11. ______________________________
12. ______________________________
13. ______________________________
14. ______________________________

1.3 **Palabras escondidas** Unscramble the letters to form words from the chapter's vocabulary.

1. boilr ______________________________
2. oiicdorcani ______________________________
3. terpuip ______________________________
4. dranaeb ______________________________
5. daconuer ______________________________
6. jrloe ______________________________
7. avennat ______________________________
8. zliáp ______________________________

Nombre ______________________ Fecha __________

Practica tu gramática 1 y 2

Gender and number of nouns

1.4 En mi clase Complete the paragraph with the plural form of the words in parentheses.

En mi clase hay *(there are)* veinte (1) __________ (estudiante), dos (2) __________ (maestro), cuatro (3) __________ (ventana), dos (4) __________ (televisor), tres (5) __________ (pizarra), cuatro (6) __________ (cartel) y muchos (7) __________ (pupitre). En mi mochila hay cinco (8) __________ (libro), tres (9) __________ (cuaderno), dos (10) __________ (lápiz) y muchos (11) __________ (papel).

1.5 ¿Masculino o femenino? Look at the following list of vocabulary words and write **M** in the blank in front of the word if it is masculine and **F** if it is feminine.

1. _____ bandera
2. _____ bolígrafo
3. _____ escritorio
4. _____ silla
5. _____ pupitre
6. _____ reloj
7. _____ maestro
8. _____ mapa
9. _____ computadora
10. _____ cartel
11. _____ puerta
12. _____ lápiz

1.6 ¿Cuántos hay? Write out the numbers in parentheses.

En el salón de clases hay…

1. (20) __________ pupitres
2. (3) __________ mapas
3. (11) __________ bolígrafos
4. (18) __________ estudiantes
5. (9) __________ diccionarios
6. (5) __________ ventanas
7. (14) __________ libros
8. (4) __________ sillas
9. (7) __________ carteles
10. (15) __________ mochilas

1.7 Una secuencia lógica Write the number that logically completes each sequence.

1. dos, cuatro, seis, ocho, ____________, doce, ____________, ____________, dieciocho
2. tres, seis, ____________, doce, ____________, ____________
3. ____________ cinco, diez, ____________, ____________
4. nueve, once, ____________, quince, ____________, ____________
5. veinte, diecisiete, catorce, ____________, ____________, cinco, ____________

Definite and indefinite articles and **hay**

1.8 Los artículos Change the definite articles to indefinite articles.

Modelo la pizarra Hay *una* pizarra.

1. el libro Hay ____________ libro.
2. los mapas Hay ____________ mapas.
3. la estudiante Hay ____________ estudiante.
4. las sillas Hay ____________ sillas.
5. los lápices Hay ____________ lápices.
6. la puerta Hay ____________ puerta.
7. las mochilas Hay ____________ mochilas.
8. el escritorio Hay ____________ escritorio.

1.9 El salón de clases Complete the paragraph with the correct definite or indefinite articles.

Esta *(This)* es (1) ____________ clase de geografía y el señor Díaz es (2) ____________ maestro de la clase. (3) ____________ salón de clases está muy organizado. Hay (4) ____________ escritorio enfrente *(in the front)* de la clase y hay (5) ____________ pizarra entre *(between)* (6) ____________ puerta y (7) ____________ ventana. Hay (8) ____________ pupitres y (9) ____________ libros en los pupitres. Hay (10) ____________ mapa en la clase. (11) ____________ mapa es muy grande.

Nombre ______________________ Fecha ______________

1.10 **En la mochila** Look at the picture and use **hay** to answer the questions in complete sentences.

Modelo ¿Cuántas mochilas hay? *Hay una mochila.*

1. ¿Cuántos bolígrafos hay? ______________________
2. ¿Cuántos cuadernos hay? ______________________
3. ¿Cuántos libros hay? ______________________
4. ¿Cuántas computadoras hay? ______________________
5. ¿Cuántos lápices hay? ______________________

1.11 **Los números de teléfono** Spell out the telephone numbers. Use double digits when possible!

Modelo 5-10-11-42 *cinco, diez, once, cuarenta y dos*

1. 9-87-65-43 ______________________
2. 4-12-34-56 ______________________
3. 3-71-22-19 ______________________
4. 2-14-98-15 ______________________

1.12 **En la tienda *(store)*** Fill in each blank by spelling out the number in parentheses. **¡OJO!** Make sure the numbers agree with the noun.

1. Hay ______________ mochilas. (31)
2. Hay ______________ libros. (61)
3. Hay ______________ computadoras. (81)

Nombre ______________________ Fecha ____________

¡Hora de escuchar! 1

1.13 Saludos Listen to a conversation between friends and fill in the missing words.
1-1

ÓSCAR: (1) ¡ ______________ ! ¿Cómo estás?

NORMA: ¡Hola, Óscar! Estoy (2) ________ ________, ¿y tú?

ÓSCAR: (3) ______________. Hay un examen en (4) ________ ________ de español.

NORMA: Óscar, te (5) ______________ a mi amiga, Reina.

ÓSCAR: (6) ______________. ¿Qué tal?

REINA: Bien, (7) ______________.

ÓSCAR: Bueno, mucho gusto y (8) ________ ________.

NORMA y REINA: (9) ______________.

1.14 En la clase Study the three pictures below and then listen to the statements. Decide which drawing each statement is about.
1-2

A.

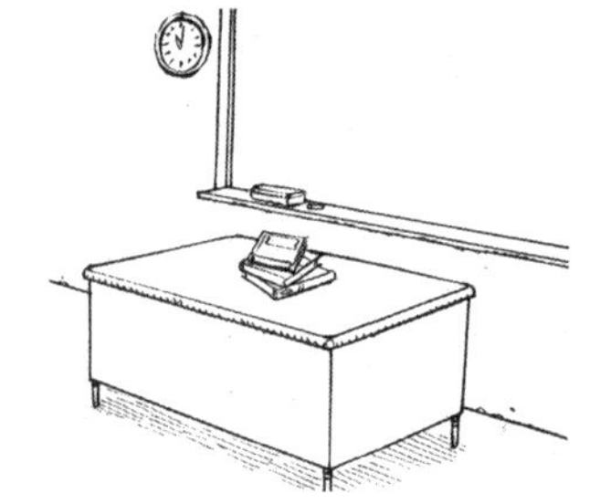

B.

C.

1. ____ **2.** ____ **3.** ____ **4.** ____ **5.** ____ **6.** ____

1.15 ¿Cierto o falso? Listen to Lorenzo's description of his classroom and decide whether the following statements are true **(cierto)** or false **(falso).**
1-3

1. Cierto Falso Hay 20 estudiantes en la clase de español.

2. Cierto Falso Hay mapas en la clase.

3. Cierto Falso Hay una bandera en la clase.

4. Cierto Falso Hay un bolígrafo en el escritorio.

5. Cierto Falso Hay pupitres para *(for)* los estudiantes.

Nombre ____________________ Fecha ____________

Pronunciación 1: El alfabeto

1-4 Listen to the pronunciation of the letters of the alphabet and the first names and repeat during the pause.

A	a	Ana	Andrés
B	be	Bárbara	Boris
C	ce	Cecilia	Carlos
D	de	Dora	David
E	e	Eva	Edgar
F	efe	Fátima	Federico
G	ge	Graciela	Gilberto
H	hache	Hilda	Héctor
I	i	Inés	Ignacio
J	jota	Julia	Jacinto
K	ka	Karina	Kaitán
L	ele	Lola	Lucas
M	eme	Marisela	Manolo
N	ene	Norma	Néstor
Ñ	eñe	Begoña	Íñigo
O	o	Olivia	Óscar
P	pe	Patricia	Pablo
Q	cu	Quirina	Quinto
R	ere	Ariana	Rafael
S	ese	Sara	Salvador
T	te	Teresa	Tomás
U	u	Úrsula	Ulises
V	uve	Vanesa	Víctor
W	doble uve	Winifreda	Walter
X	equis	Xochitl	Xavier
Y	ye	Yolanda	Yamil
Z	zeta	Zoraida	Zacarías

1-5 **A.** Listen to the spelling of six Spanish words and write them in the spaces below.

1. ____________ **4.** ____________

2. ____________ **5.** ____________

3. ____________ **6.** ____________

B. The words above are cognates, meaning they look similar to English words. Write what you think they mean.

1. ____________ **4.** ____________

2. ____________ **5.** ____________

3. ____________ **6.** ____________

¡Hora de escribir!

It is the first day of school and these students are meeting for the first time. Write a conversation between two of the students.

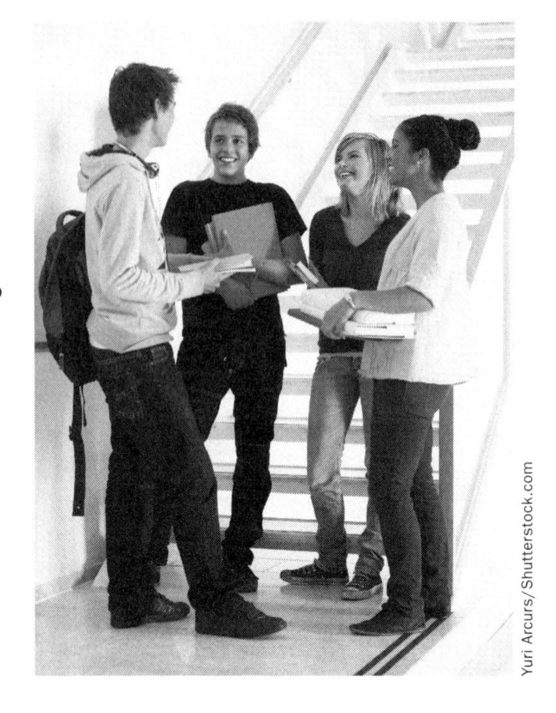
Yuri Arcurs/Shutterstock.com

Paso 1 Brainstorm a variety of ways you could greet your classmates.

Paso 2 What expressions would you use to introduce yourself? What expressions would be appropriate responses to an introduction? Write down your ideas.

Paso 3 Make a list of ways you might ask how someone is doing and the ways you might respond to those questions.

Paso 4 Make a list of ways you might say goodbye to someone.

Paso 5 Choose from the expressions you came up with in **Pasos 1–4** to write a conversation in the space below between two of the students in the photo. Include greetings, introductions, how the students are feeling, and farewells in your conversation.

______

______

______

______

______

______

______

______

______

______

______

______

______

Paso 6 Edit your conversation.

1. Were you consistent in using the informal all the way through the conversation?

2. Check your spelling, including accent marks.

Nombre ________________________ Fecha ____________

Practica tu vocabulario 2

1.16 Los antónimos Write the vocabulary word that means the opposite of the one given.

1. difícil ____________
2. inteligente ____________
3. cruel ____________
4. bueno ____________
5. trabajador ____________
6. generoso ____________
7. paciente ____________
8. interesante ____________
9. realista ____________
10. optimista ____________

1.17 ¿El chico o el perro? Decide whether each of the following words describes the boy or his dog, and write the corresponding letter in the blank.

a. el niño **b.** el perro

1. ____ alto
2. ____ agresivo
3. ____ antipático
4. ____ delgado
5. ____ feo
6. ____ gordo
7. ____ joven
8. ____ moreno
9. ____ simpático

1.18 Asociaciones Write the most logical adjective to describe each person or thing.

Modelo el salón de clases: *grande* grande cruel

1. un presidente ____________
2. un libro ____________
3. Antonio Banderas ____________
4. un estudiante ____________
5. un reloj ____________
6. un cuaderno ____________

idealista	pequeño
corto	pobre
trabajador	fácil
largo	alto
nuevo	guapo
perezoso	bueno

Nombre ______________________ Fecha ______________

Practica tu gramática 3 y 4

Subject pronouns and the verb **ser**

1.19 **Grupos** Write the plural forms for each of the following pronouns. **¡OJO!** There are two possible plural forms for **yo** and three possible plural forms for **tú**.

Modelo él *ellos*

1. ella ______________
2. yo ______________
3. tú ______________
4. usted ______________

1.20 **Los pronombres** Replace each name with the appropriate pronoun.

Modelo Juan *él*

1. Marcela ______________
2. Jorge y Carlos ______________
3. Leo y yo ______________
4. Cecilia y tú ______________
5. Susanita *(speaking* ***to*** *her)* ______________
6. Gilberto ______________
7. Roberto y Eva ______________
8. la señora Gómez *(speaking* ***to*** *her)* ______________

1.21 **El verbo ser** Write the correct form of the verb **ser** for each pronoun.

yo	______	usted	______	ellos	______
tú	______	nosotros(as)	______	ellas	______
él	______	vosotros(as)	______	ustedes	______
ella	______				

1.22 **¿Quién?** Read each sentence and circle the appropriate subject pronoun.

Modelo (Ella / Yo) es guapa.

1. (Nosotros / Ellas) somos inteligentes.
2. (Tú / Usted) eres simpático.
3. (Vosotros / Ustedes) sois estudiantes.
4. (Tú / Usted) es un maestro estricto.
5. (Ustedes / Vosotros) son rubios.
6. (Ella / Yo) es de México.

1.23 **¿De dónde eres tú?** Complete the following paragraph with the correct forms of the verb **ser.**

Mi amigo y yo (1) ______ de Venezuela. Yo (2) ______ de Caracas, y él (3) ______ de Maracaibo. Nuestras novias *(Our girlfriends)* se llaman Gisela y Elena. Ellas (4) ______ de Colombia. Gisela (5) ______ de Bogotá y Elena (6) ______ de Medellín. ¿De dónde (7) ______ tú?

Nombre ______________________________ Fecha ______________

Adjective agreement

1.24 **¿A quién describe?** Read the list of adjectives below, paying attention to each adjective's gender and number. Then write the letter corresponding to the person or people that each adjective could describe. For some adjectives, there will be more than one choice.

Modelo ______ perezosos *d, e*

a. Gloria b. Roberto c. Gloria y Ana d. Roberto y Óscar e. Gloria y Roberto

1. ______________ atlético
2. ______________ cariñosa
3. ______________ cómico
4. ______________ generosa
5. ______________ honestos
6. ______________ inteligente
7. ______________ joven
8. ______________ liberales
9. ______________ optimistas
10. ______________ pacientes
11. ______________ serias
12. ______________ simpáticos
13. ______________ tímida
14. ______________ trabajador

1.25 **Mis amigos** Complete each sentence by rewriting the adjective so that it agrees with the underlined subject.

Modelo Mi amigo es **alto** y mi amiga también es *alta*.

1. Mi amigo es **simpático** y mi amiga también es ______________.
2. Mi amiga es **seria** y mi amigo también es ______________.
3. Mi amiga es **guapa** y mi amigo también es ______________.
4. Mi amigo es **inteligente** y mis amigas también son ______________.
5. Mi amigo es **trabajador** y mis amigas también son ______________.
6. Mis amigos son **amables** y mis amigas también son ______________.
7. Mi amiga es **idealista** y mi amigo también es ______________.
8. Mi amigo es **honesto** y mi amiga también es ______________.

1.26 **¿Cómo son?** Describe the people using the adjectives provided. **¡OJO!** Pay attention to adjective agreement (masculine vs feminine and singular vs plural).

1. Los maestros son ______________ y ______________. (paciente, serio)
2. Las estudiantes son ______________ y ______________. (simpático, joven)
3. Gabriel Iglesias es ______________ y ______________. (optimista, sociable)
4. Shakira es ______________ y ______________. (rubio, inteligente)
5. Jennifer López ______________ y ______________. (rico, famoso)

1.27 Descripciones Complete the following sentences with the correct form of the verb **ser** and two different adjectives. **¡OJO!** Pay attention to the form of the adjective!

Modelo Mi amiga *es trabajadora y tímida.*

1. Yo ______.
2. Mi amigo y yo ______.
3. Mi maestro(a) de español ______.
4. Los maestros de inglés ______.
5. Mis amigas ______.
6. Los estudiantes de español ______.
7. El presidente ______.

¡Hora de escuchar! 2

1-6 **1.28 La fila** Listen to the statements about the people in the drawing and indicate whether they are true **(cierto)** or false **(falso)**.

el Sr. González Magdalena Sergio la Sra. Valdez

1. Cierto Falso
2. Cierto Falso
3. Cierto Falso
4. Cierto Falso
5. Cierto Falso
6. Cierto Falso
7. Cierto Falso
8. Cierto Falso

 **1.29** **¿Quién es?** You will hear eight descriptions. Write the letter of the drawing that matches the description you hear. Some drawings will be described more than once.

1-7

a. 

b. 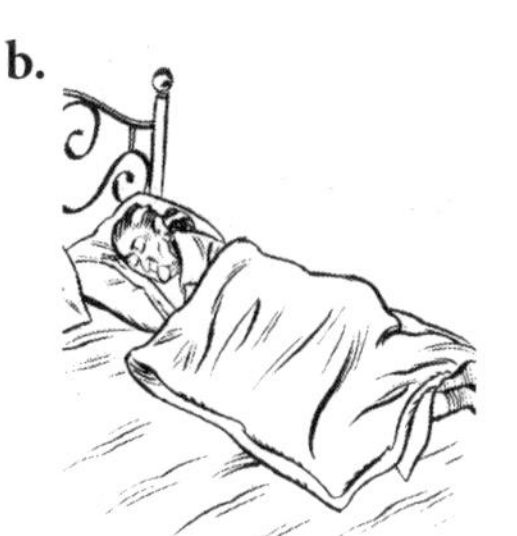

c. 

d. 

e. 

1. _____ 2. _____ 3. _____ 4. _____ 5. _____ 6. _____ 7. _____ 8. _____

1.30 **Mi clase de inglés** Listen as Alberto talks about his English class. Circle the correct adjective to complete each statement

1-8

1. La clase es (interesante / difícil).
2. La maestra es (impaciente / inteligente).
3. La clase es (grande / pequeña).
4. Los estudiantes son (simpáticos / trabajadores).
5. Sergio es (amable / sociable).

Pronunciación 2: Las vocales

Unlike English, Spanish vowels are consistent in their pronunciation, regardless of the other sounds around them.

1-9

A is pronounced like the **a** in *father.*

E is pronounced like the **a** in *cake.*

I is pronounced like the **ee** in *feel.*

O is pronounced like the **o** in *woke.*

U is pronounced like the **oo** in *tooth.*

Listen to the pronunciation of the vowels in the following rhyme.

A E I O U

El burro sabe más que tú.

Now listen and repeat the following words. Pay attention to their vowel sounds.

1-10

A	Ana	mañana	banana	papá
E	me	Pepe	nene	bebé
I	sí	Pili	Trini	Mimi
O	no	Toño	coco	poco
U	tú	Lulú	gurú	Zulu

Nombre ______________________ Fecha ______________

¡Hora de reciclar!

1.31 Los artículos Complete each sentence with the correct article (**un, unos, una, unas, el, los, la, las**).

Modelo En el salón de clases hay *una* pizarra negra.

1. __________ libro de español es interesante.
2. __________ estudiantes de la clase son simpáticas.
3. En la clase hay __________ niño de España.
4. __________ computadoras del laboratorio son nuevas.
5. __________ maestra es extrovertida.
6. __________ mapa es de Latinoamérica.
7. En mi mochila hay __________ diccionario.
8. __________ ventanas del salón de clases son grandes.

Redacción

On a separate piece of paper, write a paragraph describing yourself and your best friend.

Paso 1 Create a Venn diagram like the one below. In the middle section where the circles overlap, write an adjective that describes both you and your best friend. Write an adjective that only describes you in the left circle, then write an adjective that only describes your best friend in the right circle. Pay attention to the adjectives' gender.

Paso 2 Write one sentence introducing yourself.

Paso 3 Write one sentence that describes you, using the adjective you wrote in the left-hand circle. Then write one sentence that describes your friend, using the adjective you wrote in the right-hand circle.

Paso 4 Write one sentence describing what you and your friend have in common, using the adjective you wrote in the middle section. Remember to use **nosotros(as).**

Paso 5 Edit your paragraph.

1. Do the adjectives agree with the person they describe?
2. Check your spelling, including accent marks.

Nombre ______________________ Fecha ______________

CAPÍTULO 2 ¿Cómo es tu vida?

Practica tu vocabulario 1

2.1 Los miembros de la familia Use the clues to complete the words. Note that **de** means *of*, and "**el/la** ____ **de mi** _____" means "the _____ of my _____."

1. Es la hermana de mi padre. T ___ ___
2. Es la hija de mi madre y de mi padrastro. M ___ ___ ___ A H ___ ___ ___ ___ ___ A
3. Es el hijo de mi hijo. N ___ ___ ___ O
4. Es la madre de mi esposo. S ___ ___ ___ ___ A
5. Son los hijos de mis tíos. P ___ ___ ___ ___ S
6. Son los hijos de mi hermano. S ___ ___ ___ ___ ___ ___ S
7. Son los padres de mis padres. A ___ ___ ___ ___ ___ S
8. Es la esposa de mi padre, pero no es mi madre. M ___ ___ ___ ___ ___ ___ ___ A

2.2 Más sobre la familia Use the family tree to complete the sentences below.

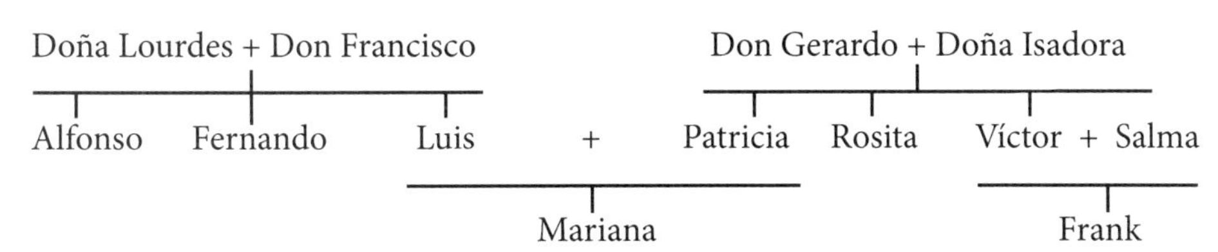

1. Mariana es la ______________________ de Frank.
2. Alfonso y Fernando son ______________________.
3. Mariana es la ______________________ de doña Lourdes.
4. Patricia es la ______________________ de Frank.
5. Rosita es la ______________________ de don Gerardo y doña Isadora.
6. Mariana es la ______________________ de Fernando.
7. Don Gerardo es el ______________________ de Salma.
8. Todos los miembros de la familia de Patricia son los ______________________ de Patricia.

2.3 **¿Cierto o falso?** Read the following statements and decide if they are true **(cierto)** or false **(falso)**.

1. Cierto Falso Mi tío es el hermano de mi papá.
2. Cierto Falso Mi prima es la hija de mi hermana.
3. Cierto Falso Mi abuelo es el padre de mi madre.
4. Cierto Falso Mi hermano es el hijo de mi hijo.
5. Cierto Falso Mi perro es la mascota de mi familia.

Practica tu gramática 1 y 2

Possessive adjectives

2.4 **La familia de Carina** Carina is showing her friend Gustavo a photo of her family. Choose the possessive adjectives that best complete the sentences.

GUSTAVO: Carina, ¿es una foto de (1) __________ (tu/tus) familia?

CARINA: Sí, ellos son (2) __________ (mi/mis) padres y ella es (3) __________ (mi/mis) hermana, Graciela. Aquí está *(Here is)* (4) __________ (nuestro/nuestra) tía. Ella es la hermana de (5) __________ (mi/mis) padre.

GUSTAVO: ¿Ella tiene *(have)* esposo?

CARINA: Sí, pero (6) __________ (su/sus) esposo no está en la foto. (7) __________ (Su/Sus) hijos no están en la foto tampoco *(either)*.

GUSTAVO: ¿Y ustedes tienen *(have)* mascotas?

CARINA: Sí, (8) __________ (nuestros/nuestras) gatas se llaman Natasha, Tomasa y Traviesa.

2.5 **La opción correcta** Complete the paragraph with the appropriate form of the possessive adjectives in parentheses.

Yo tengo *(I have)* dos hermanas. (1) __________ (Mi) hermanas son simpáticas. Ellas y yo tenemos *(have)* muchas mascotas. (2) __________ (Nuestro) mascotas son pequeñas porque (3) __________ (nuestro) casa *(house)* también es pequeña. Tenemos dos perros. (4) __________ (Su) nombres son Huesos y Peludo. Huesos es un perro tonto, pero él es __________ (5) (mi) mascota favorita.

Nombre ______________________ Fecha ______________

2.6 **El apartamento** Complete the following paragraph with the correct possessive adjectives.

Mi familia y yo vivimos *(live)* en un apartamento. (1) ____________ apartamento no es muy grande, pero nos gusta *(we like it)*. (2) ____________ hermano se llama Óscar, y él tiene *(has)* un perro. (3) ____________ perro es pequeño y muy simpático. Yo también tengo *(have)* dos hermanas y (4) ____________ hermanas juegan con *(play with)* las mascotas. ¿Y tú? ¿Cómo es en (5) ____________ casa?

2.7 **¿De quién es?** The Ramírez family has many pets. Rewrite the sentences using the possessive adjective **su(s)**.

Modelo El pájaro es de Paquito. Es *su pájaro.*

1. El caballo es del señor Ramírez. Es ______________________.
2. El gato es de Luisita y Sarita. Es ______________________.
3. Los peces son de Miguelito. Son ______________________.
4. El perro es de la señora Ramírez. Es ______________________.
5. Los ratones son de Graciela. Son ______________________.
6. Las mascotas son de la familia Ramírez. Son ______________________.

2.8 **Información adicional** Complete the following statements using the appropriate possessive pronoun.

Modelo Jimena tiene un hermano.
Su hermano es un maestro.

1. Yo tengo tres clases. ____________ clases son difíciles.
2. Los abuelos tienen un apartamento. ____________ apartamento es pequeño.
3. Tenemos muchos amigos. ____________ amigos son de México.
4. Ustedes tienen una computadora. ____________ computadora es vieja.
5. Usted tiene tres libros. ____________ libros son muy interesantes.
6. Mis hermanos y yo tenemos tres mascotas. ____________ mascotas son un perro, un gato y un pez.

Regular -**ar** verbs

2.9 Una familia ocupada Complete the following sentences with the appropriate form of the verb in parentheses.

Modelo Yo *estudio* (estudiar) español.

1. Mi familia ______________ (viajar) mucho.
2. Mis hermanas ______________ (bailar) ballet.
3. Mi hermano ______________ (practicar) el fútbol.
4. Yo ______________ (cocinar).
5. Mis padres ______________ (trabajar).
6. Mi padre ______________ (manejar) un camión *(truck)*.
7. Mi madre ______________ (enseñar) inglés.
8. Mis hermanos y yo ______________ (ayudar) a limpiar.

2.10 ¡Qué coincidencia! Miranda and Simón are chatting about their activities and those of their siblings. Choose the appropriate verb in parentheses, then conjugate it to complete the conversation.

MIRANDA: Mi hermana Ana (1) ______________ (tomar/nadar) lecciones de canto *(singing)*.

SIMÓN: ¡Qué coincidencia! Yo también (2) ______________ (tomar/mirar) lecciones de canto. Yo (3) ______________ (llegar/bailar) muy bien también.

MIRANDA: Yo no (4) ______________ (escuchar/tomar) lecciones de canto porque (5) ______________ (escuchar/nadar) en el equipo *(team)* de la escuela y (6) ______________ (necesitar/practicar) mucho. Mis hermanos Mario y Saúl (7) ______________ (regresar/estudiar) en la universidad.

SIMÓN: Yo (8) ______________ (trabajar/esquiar) en una tienda *(store)* de música. ¿Tú (9) ______________ (escuchar/caminar) mucha música?

MIRANDA: Pues, sí. Yo (10) ______________ (llevar/escuchar) música todos los días *(every day)*.

2.11 ¿Qué hacen? Federico is discussing the activities he, his friends, and his family do. Write sentences using the words in parentheses and the subjects given. Be sure to conjugate the verbs correctly.

Modelo (hablar español) El profesor de español *habla español.*

1. (caminar a la escuela) Yo ______________________________
2. (cocinar muy bien) Mi madre ______________________________
3. (mandar muchos mensajes) Mis amigos ______________________________
4. (escuchar música clásica) Mis abuelos ______________________________
5. (trabajar en una oficina) Mi tía ______________________________
6. (tomar clases de lenguas) Mis amigos y yo ______________________________
7. (nadar) Mi hermano y yo ______________________________

Nombre ________________ Fecha ________________

2.12 **Preguntas personales** Answer these questions in complete sentences.

1. ¿Miras la televisión mucho?

____

2. ¿Bailas bien?

____

3. ¿Tomas mucha soda?

____

4. ¿Practicas deportes?

____

5. ¿Mandas mensajes todos los días *(every day)*?

____

6. ¿Deseas enseñar en el futuro?

____

¡Hora de escuchar! 1

2-1 **2.13** **La familia de Luisa** Listen to Luisa's description of her family and complete the following sentences with the correct vocabulary word. **¡OJO!** Remember that you are writing what Luisa would say.

Modelo You will hear: *Irene es mi madre. Su esposo es Rafael.*
You will write: Rafael es mi *padre.*

1. Eduardo es mi ________________.
2. Daniela es mi ________________.
3. Beatriz y Adela son mis ________________.
4. Alejandro es mi ________________.

2.14 **¿Qué hacen?** Listen to the statements. Then write the number of the statement under the picture it describes.

2-2

a. ______________________

b. ______________________

c. ______________________

d. ______________________

e. ______________________

f. ______________________

Nombre ________________________________ Fecha ________________

2-3 **2.15** **¿Quién?** Listen to the description of Gloria and Marcelo, and decide whether the following statements refer to Gloria, Marcelo, or both **(Los dos)**.

1. Marcelo	Gloria	Los dos	Estudia en el Colegio del Sol.
2. Marcelo	Gloria	Los dos	Canta en el coro *(choir)*.
3. Marcelo	Gloria	Los dos	Practica fútbol.
4. Marcelo	Gloria	Los dos	Escucha música.
5. Marcelo	Gloria	Los dos	Visita a su hermano.

Pronunciación 1: Diphthongs

2-4 A diphthong is the pronunciation of two vowels in one syllable. While each vowel sound is pronounced in Spanish, the strong vowels **(a, e, o)** are more fully enunciated. Listen and repeat the following words.

ai – baila Haití aire

au – Paula Austria audio

ei – veinte treinta seis

eu – Europa Eugenio feudal

ia – estudia sociable farmacia

ie – tiene diez nieto

io – armario religioso escritorio

oi – oiga boicot soy

ua – Paraguay Ecuador cuarto

ue – bueno abuelo suegro

When there are two weak vowels **(i, u)** together, the second vowel is more fully enunciated. Listen and repeat the following words.
iu – viudo veintiuno **ui** – Luisa cuidado **Un trabalenguas** Here is a tongue twister to practice some diphthongs.

Cuando cuentas cuentos nunca cuentas cuantos cuentos cuentas,
porque cuando cuentas cuentos nunca cuentas cuantos cuentos cuentas.

¡Hora de reciclar! 1

2.16 **Los artículos** Complete the sentences with the correct article **(un, unos, una, unas, el, los, la, las)**.

Modelo En el salón de clases hay *una* pizarra.

1. ________ libro de español es interesante.

2. Todas ________ estudiantes de la clase son simpáticas.

3. En la clase hay ________ cartel de España.

4. ________ computadoras del laboratorio son nuevas pero otras son de 2009.

5. ________ maestra Zarzalejos es extrovertida.

6. En el salón de clases hay un mapa. ________ mapa es de Latinoamérica.

7. En mi mochila hay ________ diccionario.

8. ________ tres ventanas del salón de clases son grandes.

¡Hora de escribir!

itsmejust/Shutterstock.com

Write a 3-sentence paragraph about the people in one of the family photos.

Paso 1 Choose one of the photos and brainstorm ideas to use in your paragraph. Decide the names of each family member, their relationship to one another, and what each of them are like.

Paso 2 Write a paragraph to describe the family in the photo using the information you brainstormed in **Paso 1.** Write one sentence telling the names of the family members, one sentence explaining how they are related, and one sentence describing each person with adjectives.

____

____

____

____

____

Yaromir/Shutterstock.com

Paso 3 Edit your paragraph:

1. Are there any spelling errors?
2. Do your verbs agree with the subject?
3. Do your adjectives agree with the person they describe?

Practica tu vocabulario 2

2.17 ¿Qué necesito? Name a class where you might need each of the following books or supplies.

1. un libro de poesía *(poetry)* ______________________
2. gafas de seguridad *(lab goggles)* ______________________
3. una guitarra ______________________
4. un libro de mapas ______________________
5. un transportador *(protractor)* ______________________
6. un pincel *(paintbrush)* ______________________
7. una calculadora ______________________
8. un libro sobre *(about)* Abraham Lincoln ______________________

Nombre ______________________ Fecha ______________

2.18 **La universidad** Complete the sentences with the most logical place on campus from the list below. Use each place only once.

el auditorio **la biblioteca** **la cafetería** **el campo** **el gimnasio** **el laboratorio**

1. Selma busca libros y estudia en ______________________.
2. Luli y Leticia toman una soda en ______________________.
3. Gloria practica deportes en ______________________.
4. Beto y Enrique hacen un experimento en ______________________.
5. Miranda mira un juego de fútbol *(soccer game)* en ______________________.
6. Acela mira una presentación en ______________________.

2.19 **¿Qué clase es?** Write the class subject that best completes each sentence.

1. Los estudiantes estudian plantas y animales en la clase de ____________.
2. Los estudiantes tienen clase en el gimnasio y practican deportes en la clase de ____________.
3. Los estudiantes estudian figuras como el triángulo, el círculo y el rectángulo en la clase de ____________.
4. Los estudiantes son actores en la clase de ____________.
5. Los estudiantes estudian la elección del presidente en la clase de ____________.
6. Los estudiantes estudian los elementos y hacen experimentos en el laboratorio en la clase de ____________.

2.20 **Profesiones** Choose a class from the list that logically fits each of the following professions. Do not repeat classes.

el arte **la biología** **la economía** **la informática** **la literatura**
la psicología **el teatro**

1. actor: ______________________
2. pintor: ______________________
3. doctor: ______________________
4. psiquiatra *(psychiatrist)*: ______________________
5. maestro(a) de inglés: ______________________
6. banquero *(banker)*: ______________________
7. programador *(computer programmer)*: ______________________

Practica tu gramática 3 y 4

The verb **tener**

2.21 El verbo *tener* Fill in the blanks with the correct forms of the verb **tener**.

yo ________________	nosotros(as) ________________
tú ________________	vosotros(as) ________________
él ________________	ellos ________________
ella ________________	ellas ________________
usted ________________	ustedes ________________

2.22 Los verbos *ser* y *tener* Complete the paragraph with the appropriate form of each verb in parentheses.

Yo (1) ______________ (ser) Yolanda y (2) ______________ (tener) un hermano gemelo *(twin)* Julián. Nosotros (3) ______________ (ser) de Uruguay y (4) ______________ (tener) quince años. Nosotros (5) ______________ (tener) tres primos. Andrés y Andrea (6) ______________ (ser) gemelos *(twins)* también, y ellos (7) ______________ (tener) doce años. Verónica (8) ______________ (ser) muy pequeña y (9) ______________ (tener) cinco años. ¿Y tú? ¿Cuántos años (10) ______________ (tener) tú?

2.23 Combinaciones Use the elements below to create logical sentences. You will need to choose the correct verb and conjugate it according to the subject.

Modelo ustedes / (ser/tener) / razón
Ustedes tienen razón.

1. Lourdes / (ser/tener) / mucha hambre

____

2. Mario / (ser/tener) / tres hermanos

____

3. nosotros / (ser/tener) / jóvenes

____

4. tú / (ser/tener) / frío

____

5. yo / (ser/tener) / catorce años

____

6. ellos / (ser/tener) / estudiantes

____

Nombre ______________________ Fecha ______________

2.24 **¿Qué tienen?** Look at the pictures and complete each sentence logically, using the appropriate **tener** expression. Be sure to conjugate the verbs correctly.

Modelo Él *tiene suerte.*

1. 

2. 

3. 

4. 

5. 

6. 

1. Yo ______________________.

2. Nosotros ______________________.

3. Él ______________________.

4. Tú ______________________.

5. Ellos ______________________.

6. Vosotros ______________________.

Adjective placement

2.25 Mis clases Rewrite these sentences, adding the adjective in parentheses. Place the adjective in the correct position and make sure it agrees with the noun it describes.

Modelo La psicología es una clase. (largo)
La psicología es una clase larga.

1. Este es un semestre. (bueno) ______
2. Tengo clases. (varios) ______
3. Tengo una clase de música. (clásico) ______
4. Hay estudiantes en la clase. (simpático) ______
5. El álgebra es una clase. (fácil) ______
6. Tenemos tarea en la clase. (poco) ______
7. Necesito libros para la clase de inglés. (mucho) ______
8. En la clase tenemos exámenes. (difícil) ______
9. El señor Díaz es un profesor. (amable) ______
10. No tengo notas en mis clases. (malo) ______

2.26 Un párrafo aburrido Add adjectives to the following paragraph to make it more interesting. Be sure to add at least one adjective to each sentence. You may use adjectives from the list below or choose others. Be creative!

aburrido	**bonito**	**inteligente**	**interesante**	**grande**	**largo**	**mucho**
nuevo	**pequeño**	**perezoso**	**simpático**	**típico**	**varios**	**viejo**

Yo tengo una clase de español. En la sala de clase hay una ventana. También hay un mapa y carteles en la pared. Mi maestra es una mujer. Hay estudiantes en la clase. Tenemos un libro para la clase y también hacemos *(we do)* actividades en la clase. Hay exámenes en la clase.

______

______

______

______

______

______

Nombre ______________________________ Fecha ______________

2.27 Mi escuela Form logical sentences, using the words provided. Be sure to include one of the adjectives in parentheses. **¡OJO!** Remember that the adjective must agree with the noun it describes.

Modelo tú / tener / amigos (mucho/poco)
Tú tienes muchos amigos.

1. yo / ser / estudiante / en una escuela (público/privado)

____

2. yo / tener / maestros (interesante/aburrido)

____

3. mis compañeros de clase / ser / estudiantes (trabajador/perezoso)

____

4. el español / ser / una clase (fácil/difícil)

____

5. nosotros / tener / tarea para la clase de español (mucho/poco)

____

2.28 ¿Qué tienes? Answer the following questions about the items you have. For each positive answer, include an adjective that describes the item. **¡OJO!** Pay attention to the form of the adjective as well as to its placement.

Modelo ¿Tienes un apartamento? *Sí, tengo un apartamento pequeño.*

1. ¿Tienes un examen mañana? ______________________________.
2. ¿Tienes amigos en la clase de español? ______________________________.
3. ¿Tienes un libro en la clase de matemáticas? ______________________________.
4. ¿Tienes una maestra interesante? ______________________________.
5. ¿Tienes una clase de biología? ______________________________.

¡Hora de escuchar! 2

2.29 ¿Qué clases tomas? You will hear Tomás and Mercedes talking about all the classes they are taking this year. Write an **M** by the classes Mercedes takes and a **T** by the classes Tomás takes. **¡OJO!** Some classes you see on the list are not mentioned by either student.

2-5

_____ informática _____ álgebra

_____ teatro _____ geografía

_____ alemán _____ biología

_____ química _____ inglés

Nombre ______________________________ Fecha ______________

2.30 **¿A quién se refiere?** Listen to the conversation between Elisa and Juan and choose the correct answers to the questions below.

2-6

1. ¿Quién tiene una clase de biología? a. Elisa b. Juan
2. ¿Quién tiene una clase de cálculo? a. Elisa b. Juan
3. ¿Quién tiene un maestro aburrido? a. Elisa b. Juan
4. ¿Quién tiene clase ahora *(now)*? a. Elisa b. Juan

2.31 **Descripciones** Listen to each description and write the class in Spanish that is being described.

2-7

1. ______________________________
2. ______________________________
3. ______________________________
4. ______________________________
5. ______________________________

Palabras útiles

artistas como	*artists like*
capital	*capital*
enfrente de	*in front of*
plantas y animales	*plants and animals*

Pronunciación 2: La acentuación

2-8 In Spanish, when a word ends in a vowel or the consonants **s** or **n,** the stress, or emphasis, is usually on the second-to-last syllable. Listen to the pronunciation of the following words.

hablan corre febrero bebemos primavera

If a word ends in any consonant other than **s** or **n,** the stress is usually on the last syllable. Listen to the pronunciation of the following words.

abril trabajar hospital profesor actriz

When a word does not follow these rules, an accent mark must be placed on the stressed syllable. Look at the following words. Which syllable would the stress normally fall on? Now listen to their pronunciation.

lápiz exámenes Bogotá simpático sillón

Accent marks are also used to distinguish one word from another.

sí *yes* si *if* él *he* el *the*

Pronounce the following words, paying particular attention to where the stress falls.

2-9

1. ideal
2. lámpara
3. trabajo
4. sofá
5. farmacia
6. Cádiz
7. teléfono
8. Ecuador
9. escuchamos

2-10 Now look at the following words. Some of them need accents on the stressed syllable, and some do not. Listen to their pronunciation and write accents on the letters that should have them.

1. jovenes
2. refrigerador
3. preocupado
4. practico
5. especial
6. politico
7. interes
8. basquetbol
9. elefante
10. sueter

¡Hora de reciclar! 2

2.32 Los adjetivos Rewrite the sentences using the new subjects provided. Use the same adjective but make sure it agrees with the new subject and use the appropriate form of the verb **ser**.

Modelo Las ciencias políticas son fáciles. El español *es fácil.*

1. La química es difícil. Las matemáticas ______________________.
2. La maestra de inglés es optimista. El maestro de arte ______________________.
3. El libro de francés es largo. Los exámenes ______________________.
4. Las ciencias son interesantes. La historia ______________________.
5. El teatro es aburrido. La filosofía ______________________.
6. El examen de arte es fácil. Los exámenes de italiano ______________________.
7. Los maestros de lenguas son jóvenes. La maestra de ciencias ______________________.
8. Los estudiantes en la clase de música son trabajadores. La maestra de música ______________________.

Redacción

On a separate piece of paper, write an email to a new friend and tell him or her about one of your classes.

Paso 1 Make a list of the classes you are taking.

Paso 2 Choose one of your classes and write an adjective to describe it (**fácil, difícil, aburrido, interesante,** etc). Then write a series of phrases about the class. Note how many students are in the class, what the students are like, who the teacher is, what he or she is like, and what the homework or exams are like.

Paso 3 Start your email with a greeting and introduce yourself. Write one sentence telling your friend where you are from and how old you are.

Paso 4 Tell your friend what classes you are taking. Then describe the class you brainstormed ideas for in **Paso 2** and give your opinion of it.

Paso 5 Finish your email with an appropriate goodbye.

Paso 6 Edit your letter:

1. Did you include a greeting, all the information required in the body of the email, and a goodbye?
2. Are there any spelling errors?
3. Do adjectives agree with the person or object they describe?
4. Do verbs agree with their subjects?

Nombre ______________________ Fecha ______________

CAPÍTULO 3 ¿Qué tiempo hace hoy?

Practica tu vocabulario 1

3.1 ¿Qué ropa llevan? Write the names of the numbered items. Include the indefinite articles.

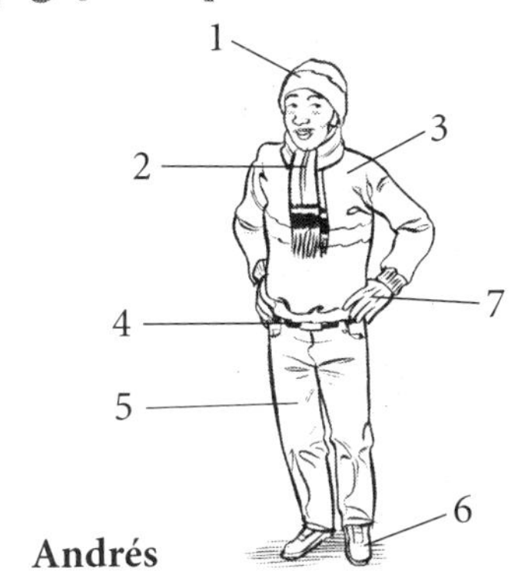

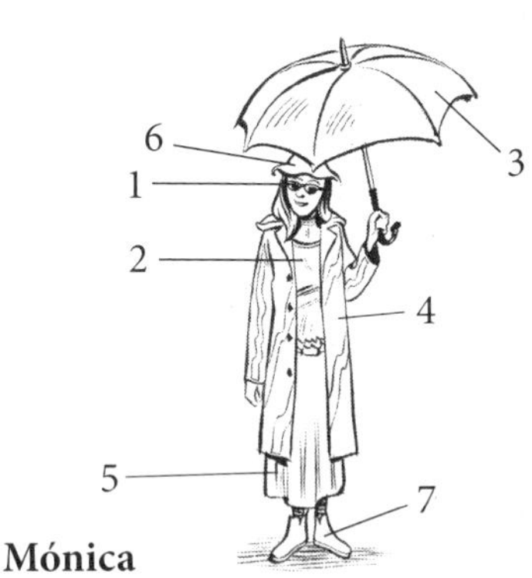

1. ______________ ______________
2. ______________ ______________
3. ______________ ______________
4. ______________ ______________
5. ______________ ______________
6. ______________ ______________
7. ______________ ______________

3.2 ¿Qué ropa debo llevar? Write the logical article of clothing you wear in each situation. Choose from the items in the list for each situation.

1. Hace mucho calor. Llevo ______________.
2. Llueve. Llevo ______________.
3. Hace frío. Llevo ______________.
4. Nieva. Llevo ______________.
5. Hace fresco. Llevo ______________.
6. Hace sol. Llevo ______________.

guantes	sandalias	una bufanda
una falda	calcetines	un paraguas
un abrigo	tenis	una corbata
lentes	botas	una pijama
pantalones cortos	un vestido	un suéter
un sombrero	una blusa	una bolsa

3.3 ¿Qué tiempo hace? Describe the weather in each illustration. More than one weather description may be possible.

1. ______________ 2. ______________ 3. ______________

4. ______________ 5. ______________

3.4 Oraciones deshidratadas Use the words to write complete sentences. **¡OJO!** You will need to conjugate the verbs and add articles as well as **y** where appropriate.

Modelo Hoy / nevar / yo / llevar / gorro →
Hoy nieva y yo llevo un gorro.

1. Hoy / llover / María Inés / llevar / paraguas ______________
2. Esta *(This)* mañana / nevar / estudiantes / llevar / abrigos ______________
3. Esta noche / hacer viento / maestro / llevar / impermeable ______________
4. Hoy / estar despejado / tú / llevar / lentes de sol ______________

Practica tu gramática 1 y 2

The verb **gustar**

3.5 ¿Qué te gusta? José Luis is writing an email to a new friend. Complete his email by circling the correct form of **gustar.**

¡Hola! ¿Cómo estás? ¿Te (1) (gusta / gustan) el fútbol? A mí me (2) (gusta / gustan) mucho todos los deportes. Me (3) (gusta / gustan) especialmente jugar al tenis y al fútbol. Pero me (4) (gusta / gustan) muchas otras actividades también. Cuando no tengo clase me (5) (gusta / gustan) tomar una soda con mis amigos. Me (6) (gusta / gustan) escuchar música y estudiar con mis amigos. ¿A ti te (7) (gusta / gustan) escuchar música? ¿Te (8) (gusta / gustan) tus clases? ¡Escribe pronto!

Nombre ______________________ Fecha ______________

3.6 **Julio y César** Julio and César have a lot in common, but they don't always like the same things. Complete the sentences with **le** or **les** and the correct form of **gustar** to say what they like and don't like.

1. A Julio ______________ tomar café, pero a César no ______________ el café.
2. A Julio ______________ las clases de ciencias, pero a César no ______________ su clase de biología.
3. A Julio y a César ______________ las novelas de ciencia ficción.
4. A Julio y a César ______________ nadar y esquiar.
5. A Julio y a César ______________ los animales. A César ______________ los perros y a Julio ______________ los gatos.
6. A Julio y a César ______________ practicar deportes. A Julio ______________ el fútbol y a César ______________ el béisbol y el básquetbol.

3.7 **Tus gustos** Write whether you like or don't like the following things. For the last item, choose whatever you like.

Modelo la música en español
Me gusta (mucho) la música en español. / No me gusta la música en español.

1. la escuela ______________
2. estudiar español ______________
3. las matemáticas ______________
4. las clases de ciencias ______________
5. hablar en clase ______________
6. ¿? ______________

3.8 **Mi familia** Rodolfo is talking about his family and himself. Complete his statements logically to say whether or not each person likes the item in parentheses.

Modelo Mi hermana es estudiante de lenguas. (las clases de francés y alemán)
Le gustan las clases de francés y alemán.

1. Yo siempre *(always)* llevo ropa muy cómoda. (las corbatas) ______________
2. Mi hermano practica deportes. (el fútbol y el béisbol) ______________
3. Mis tíos siempre toman vacaciones. (viajar) ______________
4. Mi madre enseña matemáticas. (ayudar a los estudiantes) ______________
5. Nosotros somos alérgicos a los animales. (los perros) ______________
6. Ustedes son perezosos. (cocinar y limpiar la casa) ______________

Nombre ______________________ Fecha ______________

Regular -**er** and -**ir** verbs

3.9 **Los fines de semana** Write sentences using the correct subject and form of the verb to express what the following people do every weekend.

Modelo (Mariana / recibir el periódico) *Mariana recibe el periódico.*

1. (Yo / aprender a cocinar) ______________________
2. (Tú / beber una soda con amigas) ______________________
3. (Usted / comer con la familia) ______________________
4. (Héctor / escribir mensajes de texto) ______________________
5. (Nosotros / asistir al teatro) ______________________
6. (Vosotros / correr en el parque) ______________________
7. (Ustedes / leer para la clase de inglés) ______________________
8. (Los niños / vender limonada) ______________________

3.10 **Unas preguntas** Answer the questions in complete sentences.

1. ¿Beben café tus padres?

   ____

2. ¿Corren tus amigos y tú?

   ____

3. ¿Lees muchos libros para la clase de inglés?

   ____

4. ¿Asistes a una clase de matemáticas? ¿Es una clase de álgebra o geometría?

   ____

5. ¿Cuándo escribes mensajes de texto *(text messages)*?

   ____

3.11 Las similitudes Paolo is talking about activities that he has in common with his friends. Complete his description with the correct form of the verb in parentheses.

Mis amigos (1) ______________ (creer) que yo soy muy inteligente. ¡Yo también (2) ______________ (creer) que soy muy inteligente! Ellos (3) ______________ (aprender) a hablar español en la escuela; yo también (4) ______________ (aprender) a hablar español. Mis amigos no (5) ______________ (comprender) alemán, pero yo sí (6) ______________ (comprender) un poco de alemán. Todos nosotros (7) ______________ (vivir) en una ciudad *(city)* muy bonita y siempre (8) ______________ (asistir) a clase. Yo (9) ______________ (leer) mucho en mi tiempo libre y siempre (10) ______________ (recibir) muy buenas notas. Mis amigos también (11) ______________ (leer) mucho, pero ellos no (12) ______________ (recibir) buenas notas.

3.12 Un nuevo amigo You met a new friend online and he has sent you some information about himself. Complete his sentences using the verbs in parentheses. Then answer his questions about yourself.

Modelo Yo *como* (comer) muchos chocolates, ¿y tú?
(No) Como muchos chocolates.

1. Mi familia ______________ (vivir) en California. ¿Vives en California?

____

2. Mis padres ______________ (comprender) español. ¿Comprendes español?

____

3. Yo ______________ (asistir) a la clase de ciencias. ¿Asistes a la clase de ciencias?

____

4. Mis compañeros y yo ______________ (leer) novelas para clase. ¿Lees novelas para clase?

____

5. Nosotros ______________ (recibir) buenas notas. ¿Recibes buenas notas?

____

Nombre ______________________ Fecha ______________

¡Hora de escuchar! 1

3.13 El pronóstico del tiempo You will hear the weather forecast for several cities or regions in Argentina. Listen carefully and write whether the statements are true **(cierto)** or false **(falso)**.

3-1

1. Cierto Falso En Buenos Aires hace mucho frío.
2. Cierto Falso Está despejado en Mendoza.
3. Cierto Falso Hace mal tiempo en Córdoba.
4. Cierto Falso En Rosario hace buen tiempo.
5. Cierto Falso En Patagonia hace calor y mucho sol.

3.14 ¿Lógico o ilógico? You will hear six sentences about the likes and dislikes of different people. Indicate whether the statements are logical **(lógico)** or illogical **(ilógico)**.

3-2

Modelo You will hear: *Al chef no le gusta cocinar.*
You will mark: lógico (ilógico)

1. lógico ilógico
2. lógico ilógico
3. lógico ilógico
4. lógico ilógico
5. lógico ilógico
6. lógico ilógico

3.15 De viaje Pepe is planning to visit Federico in Guatemala and they are having a telephone conversation to plan his trip. Listen to their conversation and decide which of the following ideas best complete the statements.

3-3

1. Pepe llama para preguntar...
   a. cómo es la escuela en Guatemala.
   b. qué tiempo hace en Guatemala.
   c. cómo está su amigo Federico.
2. Ahora en Guatemala...
   a. hace frío.
   b. hace viento.
   c. nieva.
3. Federico lleva...
   a. camisetas y pantalones cortos.
   b. chaquetas y botas.
   c. suéteres y pantalones.
4. Pepe debe traer *(bring)*...
   a. un sombrero.
   b. un traje de baño.
   c. unos guantes.
5. Pepe también necesita...
   a. una corbata.
   b. unas botas.
   c. un impermeable.

Nombre ______________________ Fecha ______________

Pronunciación 1: Algunas consonantes

La *ñ*

The **ñ** is pronounced like the *ny* in English. Listen to the pronunciation of the following words.

3-4

España Íñigo niño Begoña años cuñado cañón baño

La *h*

In Spanish, the **h** is silent except in foreign words, such as *hot dog* and *hockey*. Listen to the pronunciation of the following words.

hotel historia hospital Hugo hola hablar honesto

Linking

In Spanish, native speakers will link, or run together, words in the following circumstances:

1. when one word ends with the same sound the next one begins with

   el‿libro la‿antropología las‿sillas un‿niño

2. when one word ends with a vowel and the next begins with a vowel sound

   la‿hamburguesa la‿estudiante cuatro‿horas tú‿usas

3. when one word ends with a consonant and the next begins with a vowel sound

   el‿alemán un‿elefante los‿estudiantes los‿hospitales

Look at the following sentences and draw the link between the appropriate words. Then listen to the pronunciation to check your answers.

3-5

1. Los hoteles son elegantes.
2. Ella asiste a la clase de economía ahora.
3. Ella es una mujer honesta.
4. Los estudiantes son muy inteligentes.
5. La abuela tiene muchas sillas.

¡Hora de reciclar! 1

3.16 La posición de los adjetivos Rewrite the following sentences logically, adding an appropriate adjective from the list below. Be sure to make the adjective agree with the noun it describes. Use each adjective only once.

calvo corto grande impaciente mucho varios

Modelo Tengo dos mochilas. [blanco] *Tengo dos mochilas blancas.*

1. México tiene una universidad. ______________________
2. Tenemos sed. ______________________
3. Valentina es una niña. ______________________
4. Tengo un examen de cinco minutos. ______________________
5. Ramón tiene cursos de matemáticas: cálculo, álgebra y geometría.

   ____
6. Hay dos maestros en el departamento de lenguas.

   ____

Nombre ______________________ Fecha ______________

¡Hora de escribir!

Write a paragraph describing the weather in one of the photos.

Paso 1 Choose one of the photos. Then answer these questions. You will use your responses in your paragraph. What is the season? What is the date? What is the weather like? Who is the person in the photo? What is he/she doing? What is he/she wearing?

Paso 2 Write a paragraph to describe the photo you chose using your answers to the questions in **Paso 1.**

Paso 3 Edit your paragraph:

1. Is your paragraph logically organized, or do you skip from one idea to the next?
2. Are there any short sentences you can combine by using **y** or **pero**?
3. Are there any spelling errors?
4. Do verbs agree with the subject?

Hasloo Group Production Studio/Shutterstock.com

Iakunichkin Stanislav/Shutterstock.com

____

____

____

____

____

____

Practica tu vocabulario 2

3.17 Una secuencia Rewrite the following lists of months and weekdays so that they are in order.

Modelo agosto, noviembre, marzo, octubre: *marzo, agosto, octubre, noviembre*

1. febrero, septiembre, enero, junio: ______________________
2. jueves, martes, domingo, lunes: ______________________
3. julio, mayo, abril, diciembre: ______________________
4. sábado, miércoles, martes, viernes: ______________________

Nombre ______________________ Fecha ______________

3.18 **Los meses y los días de la semana** Answer the following questions.

1. ¿Qué mes es…?
   a. el mes cuando celebramos el Día de Acción de Gracias ______________
   b. el mes cuando celebramos el Día de la Madre ______________
   c. el último *(last)* mes del año ______________
   d. el mes cuando celebramos el Día del Padre ______________

2. ¿Cuál es la fecha de…?
   a. la Independencia de los Estados Unidos ______________
   b. el primer día del año ______________
   c. la Navidad *(Christmas)* ______________
   d. el Día de San Valentín ______________

3.19 **La hora** Write the time for each item.

Modelo 10:20 A.M. *Son las diez y veinte de la mañana.*

1. 8:15 A.M. ______________
2. 7:22 P.M. ______________
3. 12:00 A.M. ______________
4. 1:10 P.M. ______________
5. 5:09 A.M. ______________
6. 4:30 P.M. ______________
7. 1:50 A.M. ______________
8. 11:45 P.M. ______________

Practica tu gramática 3 y 4

The verb **ir**

3.20 **El verbo *ir*** Complete the chart with the correct forms of the verb **ir.**

yo ______	nosotros(as) ______
tú ______	vosotros(as) ______
él ______	ellos ______
ella ______	ellas ______
usted ______	ustedes ______

Nombre ______________________ Fecha ______________

3.21 En la escuela Complete the following paragraph with the appropriate forms of the verb **ir.**

Después de *(After)* la clase de historia yo (1) ______________ a la cafetería para comer con mis amigos Ignacio y Gilberto. A la una Ignacio y yo (2) ______________ a clase de inglés y Gilberto (3) ______________ a clase de literatura. Después de las clases yo (4) ______________ a la biblioteca para estudiar e Ignacio y Gilberto (5) ______________ al gimnasio. ¿Adónde (6) ______________ tú después de las clases?

3.22 ¿Adónde vas? Tell where you and your friends go by completing the sentences with the correct form of the verb **ir, a,** and the place indicated in parentheses.

Modelo Los viernes tú *vas al laboratorio.* (el laboratorio)

1. Todos los días mis amigos ______________________. (la cafetería)
2. Los fines de semana mis amigos y yo ______________________. (el campo de fútbol)
3. Para la clase de biología, mi amigo ______________________. (el laboratorio)
4. Si tengo sueño, yo ______________________. (mi casa)
5. Cuando no hay clases, yo ______________________. (el gimnasio)
6. Cuando necesitamos investigar en Internet, mis amigos y yo ______________________. (la biblioteca)

3.23 ¡Vamos! Read the statements telling what the following people want to do. Then using the words below tell where they are going. You may use each word only once.

el auditorio la biblioteca la cafetería la clase el gimnasio el laboratorio la piscina

Modelo Yo tengo que depositar dinero.
Yo voy al banco.

1. Yo tengo ganas de nadar. ______________________
2. Mis amigos tienen ganas de practicar el básquetbol. ______________________
3. El maestro tiene que enseñar una clase. ______________________
4. Mis compañeros tienen que buscar información para un proyecto. ______________________
5. Mi amigo y yo tenemos ganas de comer. ______________________
6. Una compañera tiene que hacer *(to do)* un experimento. ______________________
7. Los estudiantes tienen que asistir a una presentación. ______________________

Nombre ______________________________ Fecha ______________

ir + a + infinitive

3.24 Nuevas estudiantes Write a sentence using **ir** + **a** + an infinitive from the list to tell what Mercedes and Daniela are going to do in each of the locations. Use each infinitive only once.

Modelo el campo de fútbol, mirar el fútbol
Van a mirar el fútbol.

1. la biblioteca ______________________________ asistir a una presentación
2. la oficina del director ______________________________ hablar con el director
3. la cafetería ______________________________ nadar
4. el auditorio ______________________________ leer
5. el gimnasio ______________________________ comer

3.25 ¿Qué tienen? Read how the following people feel. Then tell what they are going to do by completing the statements with the correct form of **ir** + **a** + an infinitive from the list. Use each verb only once.

beber buscar comer correr estudiar recibir tomar

Modelo Mis amigos tienen ganas de ir a una discoteca. *Van a bailar.*

1. Gerardo y Saúl tienen hambre. ____________________ un sándwich.
2. Lucila tiene sueño. ____________________ una siesta *(nap)*.
3. Yo tengo prisa. ____________________ a clase.
4. Mi amiga y yo tenemos éxito en la clase de matemáticas. ____________________ una buena nota.
5. Mi madre tiene frío. ____________________ un suéter.
6. Los atletas tienen sed. ____________________ agua.
7. Mis compañeros tienen miedo de recibir una mala nota. ____________________ mucho.

3.26 La rutina The following family members always do the same thing every day. Read what they do routinely, then tell what they are going to do tomorrow.

Modelo Nosotros limpiamos la casa. Mañana también *vamos a limpiar la casa.*

1. Mi padre corre por la mañana. Mañana también ______________________________.
2. Mis hermanos caminan a la escuela. Mañana también ______________________________.
3. Yo cocino. Mañana también ______________________________.
4. La familia come a las seis. Mañana también ______________________________.
5. Yo miro la tele por la noche. Mañana también ______________________________.
6. Mis hermanos y yo leemos por la noche. Mañana también ______________________________.

Nombre ______________________________ Fecha ______________

3.27 **¿Qué vas a hacer?** Answer the questions in complete sentences, using **ir** + **a** + infinitive.

¿Qué vas a hacer *(to do)*…

1. hoy por la noche? ______________________________

2. este fin de semana? ______________________________

3. al final del semestre? ______________________________

4. este *(this)* verano? ______________________________

¡Hora de escuchar! 2

3.28 **La hora** Choose the clock that shows the time you hear in each sentence and write the appropriate letter in the blank. **¡OJO!** You will not use one of the clocks.

3-6

1. ___ **2.** ___ **3.** ___ **4.** ___ **5.** ___

a.

b.

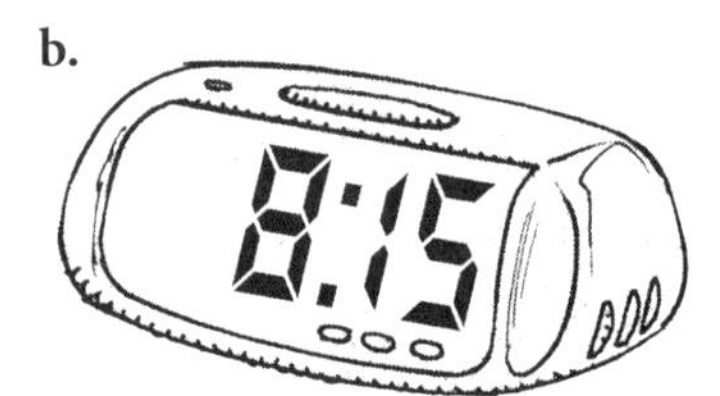

c.

d.

e.

f.

3.29 Las actividades You will hear different people talking about their activities. Listen carefully and choose which of the statements they would say.

3-7

1. a. Voy a estudiar. b. Voy a comer.
2. a. Vamos a viajar. b. Vamos a caminar.
3. a. Voy a aprender a esquiar. b. Voy a buscar un trabajo.
4. a. Vamos a regresar a casa. b. Vamos a correr a clase.
5. a. Voy a comprar ropa. b. Voy a tomar una siesta *(nap)*.

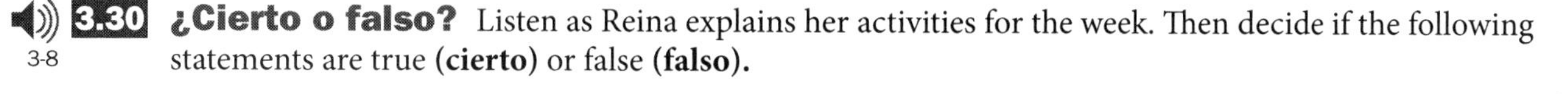

3.30 ¿Cierto o falso? Listen as Reina explains her activities for the week. Then decide if the following statements are true **(cierto)** or false **(falso)**.

3-8

1. Cierto Falso Reina tiene clases por la mañana.
2. Cierto Falso Ella trabaja el lunes.
3. Cierto Falso Ella corre el miércoles.
4. Cierto Falso Ella tiene clase de baile a las seis.
5. Cierto Falso Hay una fiesta el sábado.

Pronunciación 2: La *r* y la *rr*

La *r*

When the **r** is not the first letter in a word, it is pronounced similarly to the *tt* in the word *butter* or the *dd* in *ladder*.

3-9

Listen to the pronunciation of the following words.

derecha trece cerca volver Veracruz

La *rr*

The letter combination **rr** is rolled. A single **r** at the beginning of a word is pronounced the same as an **rr.** Listen to the pronunciation of the following words.

correo carro perro repetir Rosa regalo

The **rr** can be difficult to pronounce. In order to practice trilling, repeat the word *ladder* over and over, faster each time. This technique will help you learn to make the sound of **rr.**

Un trabalenguas Listen to and repeat the following tongue twister.

3-10

Erre con erre cigarro,

Erre con erre barril.

Rápido corren los carros,

Los carros del ferrocarril.

¡Hora de reciclar! 2

3.31 Los verbos y los posesivos Complete the paragraph with the correct form of one of the verbs in parentheses. Remember, you will need to conjugate the verb to agree with the subject.

Mi familia es muy grande. Nosotros siempre (1) ________________ (celebrar/desear) la Navidad en casa de (2) ________________ (mi/mis) abuelos. Mi abuela (3) ________________ (preguntar/cocinar) platillos *(dishes)* deliciosos. (4) ________________ (Mis/Sus) hermanos y yo (5) ________________ (llegar/comprar) muchos regalos. (6) ________________ (Nuestro/Nuestra) prima Gloria (7) ________________ (ser/tener) un año; por eso ella no (8) ________________ (hablar/cantar) muy bien todavía *(yet)*, pero ella (9) ________________ (escuchar/enseñar) música navideña y (10) ________________ (limpiar/bailar).

Redacción

An international student from a Spanish-speaking country is coming to live with your family. On a separate piece of paper, write an email to the student telling them what the weather is like where you live, what you and your friends do during the current season, and what clothing he or she will need.

Paso 1 Write down the current season. Next, write what the weather is like, what activities people do, and what clothing a boy or girl would wear during this season in your area.

Paso 2 Write your email. First, greet the student. Then write a paragraph which includes the information you noted in **Paso 2.** Include other details you also feel are important. Lastly, conclude your email with an appropriate goodbye.

Paso 3 Edit your essay:

1. Are there any spelling errors?
2. Did you include all the information required in the email?
3. Does each verb agree with its subject?